DER BESTE SOMMERGAST

Der beste Sommergast

Geschichte von *Tuula Pere*
Illustrationen von *Milena Radeva*
Layout von *Peter Stone*
Deutsch übersetzung durch *Stephanie Kersten*

ISBN 978-952-357-552-3 (Hardcover)
ISBN 978-952-357-553-0 (Softcover)
ISBN 978-952-357-554-7 (ePub)
Erste Auflage

Copyright © 2021 Wickwick Ltd

Herausgegeben 2021 durch Wickwick Ltd
Helsinki, Finnland

The Best Summer Guest, German Translation

Story by *Tuula Pere*
Illustrations by *Milena Radeva*
Layout by *Peter Stone*
German translation by *Stephanie Kersten*

ISBN 978-952-357-552-3 (Hardcover)
ISBN 978-952-357-553-0 (Softcover)
ISBN 978-952-357-554-7 (ePub)
First edition

Copyright © 2021 Wickwick Ltd

Published 2021 by Wickwick Ltd
Helsinki, Finland

Originally published in Finland by Wickwick Ltd in 2017
Finnish "Jonttu kesävieraana", ISBN 978-952-325-084-0 (Hardcover), ISBN 978-952-325-584-5 (ePub)
English "The Best Summer Guest", ISBN 978-952-325-337-7 (Hardcover), ISBN 978-952-325-837-2 (ePub)

Der beste Sommergast

TUULA PERE · MILENA RADEVA

WickWick
Children's Books from the Heart

J onty schaut seiner Mama beim Kofferpacken zu.

Wieso müssen Mama und Papa verreisen?, denkt sich Jonty. Mama sagt, dass sie und Papa viel besprechen müssen. Aber Jonty findet, dass sie das auch genauso gut zu Hause machen könnten.

Mama sieht, wie Jonty ihr zuschaut. „Wir werden bald zurück sein", sagt sie und schenkt ihm ein Lächeln. „Und du wirst eine wunderschöne Zeit mit Oma Gladys in ihrem Sommerhäuschen haben."

Jonty nickt. *Ich habe immer viel Spaß mit Oma*, denkt er.

Er sorgt sich aber trotzdem ein bisschen um die Nächte. Dann vermisst er seine Eltern am meisten. Glücklicherweise hat Oma immer tolle Ideen. Sie weiß sogar, wie man ein Schlafzelt, in das alle zehn seiner Kuscheltiere hineinpassen, baut.

Mama nimmt Jonty in ihre Arme. „Bevor du dich umschauen kannst, sind wir schon wieder zurück", sagt sie zu ihm.

Das Auto ist bis oben mit Gepäck vollgepackt, sogar der Kofferraum hat keinen freien Platz mehr. Jontys Eltern wollen zuerst Jonty bei seiner Oma absetzen und danach zum Flughafen weiterfahren.

Oma läuft ihnen schon entgegen. „Willkommen, Jonty!", umarmt sie ihn.

Mama lädt Jontys Gepäck vom Rücksitz aus. „Im großen Koffer sind Sachen für jedes Wetter", erklärt sie Oma. „Der andere Koffer ist die Spaßkiste. Jontys Videospiele und einige Extrabatterien sind in der Seitentasche."

„Tschüß, habt viel Spaß!", Jonty und seine Oma winken Mama und Papa zu, als sie rückwärts aus der Auffahrt rausfahren.

Mama sagt, dass sie bald wieder zurück sind, erinnert sich Jonty.

Oma stellt den großen Koffer im Schlafzimmer ab. Aber dann stopft sie die Spielkiste in die Schrankecke.

Sie zwinkert ihm zu. „Ich bin mir sicher, dass wir hier ohne diesen Koffer genug Spaß haben werden!"

Nach dem Frühstück setzt Jonty ein Puzzle auf dem Küchentisch zusammen. Einige der Teile fehlten. Aber wenn Jonty das letzte vorhandene Puzzleteil einsetzt, sieht er drei Kätzchen. Sie sind süß, auch wenn einem der Schwanz fehlt und ein anderes ohrenlos bleibt.

„Dein Vater hat auch immer mit diesem Puzzle gespielt, als er noch klein war", sagt Oma. „Ich glaube, er hat es als Weihnachtsgeschenk bekommen."

Jonty schaut sich still das Bild an. Er vermisst seine Eltern.

„Zeit, um auszugehen!", sagt Oma fröhlich. Sie hält ein Körbchen in die Höhe. „Wir müssen Kartoffeln und Erdbeeren auf dem Markt einkaufen gehen."

Auf dem Markt kennt Oma Gladys anscheinend alles und jeden, und jeder kennt Oma. Ein Kaffeeverkäufer bietet ihr eine Extratasse Kaffee an und ein Gemüseverkäufer gibt Jonty eine Handvoll Zuckererbsenschoten.

An einem Tag spielt Jonty „Dschungel" im Treppenhaus. Er stellt seine Kuscheltiere auf die Treppenstufen und hängt mehrere Schals wie Lianen auf. Er hängt seinen Affen an einen Schal, so dass er die Liane hochklettern kann.

„Oma, hilfst du mir?", Jonty schreit kurz auf, als der Affe durch das Geländer fällt. Er schaut in die Dunkelheit hinunter. „Ich habe zuviel Angst, um selbst runterzugehen und ihn zu holen."

„Was hältst du davon, wenn ich von hier oben ein Lied singe und du ihn dir selbst holst?", schlägt Oma vor. Sie setzt sich hin, während Jonty die Stufen hinuntersteigt. „PfeiffenbeiderArbeit, la, la, la, la, la, la, la...."

Jonty fühlt sich sofort viel mutiger.

B evor es Schlafenszeit ist, reibt sich Oma Gladys die Füße mit Creme ein. Jonty macht es ihr nach und schöpft etwas Creme aus dem Töpfchen, um sie auf seine Zehen zu reiben.

„Oma, wieso sind denn deine Zehen so faltig?", fragt Jonty.

„Weil ich schon so viele Jahre auf ihnen gelaufen bin", antwortet Oma.

„Werden meine Zehen denn eines Tages auch so aussehen?", fragt Jonty erneut.

„Wahrscheinlich. Aber bevor sie so faltig werden, werden noch viele andere Dinge passieren", sagt Oma und streichelt Jonty über den Kopf.

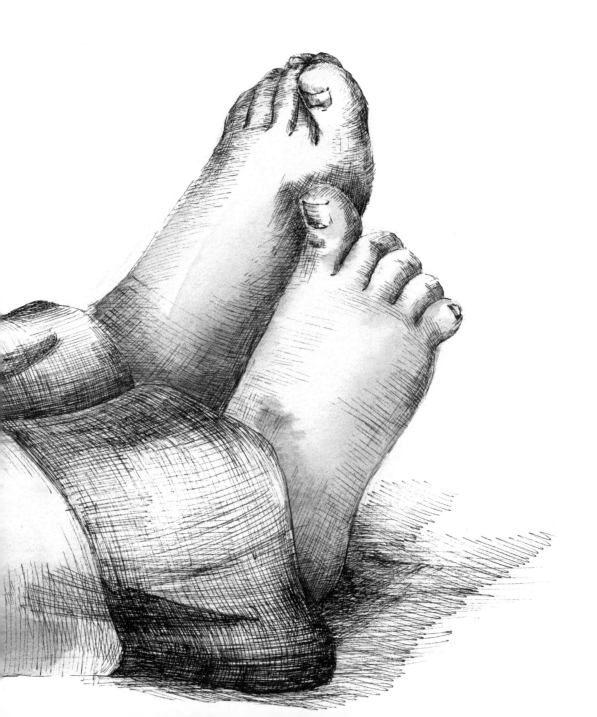

Jonty liebt es, in der Küche zu helfen. Eines Tages nehmen sich Oma und Jonty vor, Zimtrollen zu backen. Omas Freundinnen, die „Zimtengel", treffen sich in Omas Haus auf Kaffee und Kuchen.

Als es an der Zeit ist, den Zimt beizumengen, meint es Jonty ein bisschen zuviel des Guten. Er streut etwas Zimtpulver in den Teig, rollt ihn aus, dreht ihn um und gibt noch etwas mehr Zimt hinzu. Seine Zimtrollen sind nach dem Backen gut gebräunt.

„Die sind sicher ganz lecker!", sagt Oma und wischt Jonty etwas Mehl von der Nase.

„Wenn ich groß bin, werde ich meine eigene Bäckerei aufmachen", sagt Jonty aufgeregt. „Ich werde sie ,Die Bäckerei Zum Süßen Zahn' nennen. Alle müssen bezahlen, aber du bekommst alles umsonst, Oma!"

„Dann kann ich ja der Vorkoster in deiner Bäckerei sein", sagt Oma lachend.

An der Tür klingelt es. Der erste „Zimtengel" ist schon da! Jonty ist ein bisschen enttäuscht, als er sieht, dass niemand Flügel auf dem Rücken hat! Aber dafür bringen alle große Teller, die mit Süßigkeiten gefüllt sind, mit.

Bald schon ist der Esstisch mit Zimtrollen, Torten, Keksen und Kuchen vollgestellt. Die Zimtengelchen versammeln sich mit ihren Kaffeetassen um den Tisch. Sie schenken sich Kaffee ein und schwatzen ohne Pause.

Jonty kriecht mit einer seiner Zimtrollen unter den Tisch. Es macht Spaß, den Zimtengeln beim Reden zuzuhören. Als sie aber anfangen, alte Lieder zu singen, schleicht sich Jonty aus dem Zimmer.

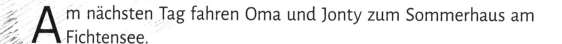

Am nächsten Tag fahren Oma und Jonty zum Sommerhaus am Fichtensee.

Oma sagt, dass sie in keiner Eile sind. „Wir können uns so richtig schön Zeit lassen und die Gegend anschauen."

Sie sind nur zehn Minuten gefahren, als Oma Bescheid gibt, dass es jetzt Zeit für eine Mittagspause mit belegten Broten und kaltem Saft ist.

„Alles schmeckt so gut, wenn man unterwegs ist", sagt Jonty und Oma stimmt ihm zu.

Als sie weiterfahren, macht Oma das Radio an. Es ist so heiß und schwül, dass Oma Jonty erlaubt, das Fenster halb runterzukurbeln. Omas Auto hat nämlich keine Klimaanlage.

Bald schon erreichen Oma und Jonty einen Friedhof. Sie bringen einen Strauß Sommerblumen zu Opas Grab.

„Er was so ein lieber Mann", seufzt Oma.

„Ja, auf jeden Fall", nickt Jonty, obwohl er sich nicht mehr gut an Opa erinnern kann.

An einem Süßigkeitsladen direkt am See bekommt Jonty seine Lieblingssüßigkeit: Feuerkugeln. Die Bonbons sind so scharf, dass sich seine Lippen zusammenziehen, als er sie lutscht.

Oma sucht sich einen Eisriegel aus. Sie sitzt unter dem Vordach des Ladens, ißt ihren Riegel genüßlich und winkt dabei Jonty zu. Es spielt jetzt auf dem Spielplatz und dreht sich wie wildgeworden auf dem Karussell.

Jonty findet den Dorfladen zu klein. Die Regale sind bis oben mit Dosen und anderen Sachen vollgepackt.

„Was kann ich dir denn heute anbieten, Gladys?", fragt der Kassierer.

Oma liest ihre Einkaufsliste vor. „Joghurt, Mehl, Buttermilch und Schwarzbrot."

Oh-oh, denkt sich Jonty ein bisschen besorgt. *Ich mag das doch alles gar nicht.*

„Ah ja, und einige Heringe, getrocknete Erbsen und geräucherten Speck für meine Suppe", fügt Oma noch hinzu.

„Aber was esse ich denn?", bricht es aus Jonty heraus.

„Ich bin mir sicher, dass du nicht verhungern wirst", neckt Oma ihn. „Ich verspreche dir, dass dir das Essen schmecken wird."

„Okay." Jonty schaut sich im überfüllten Laden um. Neben Lebensmitteln gibt es auch Kerzen, Fliegenklatschen, Gartenhandschuhe, Seile und Wäscheklammern.

„Wieso gibt es hier im Laden kein Spielzeug?", fragt er.

„Aber hier ist doch eins!", antwortet Oma. Sie nimmt einen Stapel Zeichenpapier und ein Heft mir einem blauen Einschlag und bezahlt es.

Am Ende biegt Oma in eine Einfahrt ein, die Jonty bekannt vorkommt. Er hat den Fichtensee viele Male schon besucht. Sie stellen die Lebensmittel in den Kühlschrank und beeilen sich, zum See zu gehen.

Oma schwimmt schon, während Jonty noch im knietiefen Wasser steht.

Etwas später sonnt sich Jonty auf einem Felsen. Oma hat lustige Badehandtücher. Sein Handtuch hat einen Papagei aufgedruckt und Oma ist in ein Tuch eingewickelt, das sagt: „Schnipp-Schnapp Schokoladenwaffeln".

Am Abend sitzt Oma in einem Korbsessel und löst ein Kreuzworträtsel.

Jonty ist langweilig. „Oma, ich habe nichts, mit dem ich mich beschäftigen kann", beschwert er sich.

„Das ist aber komisch, ich habe hier nämlich etwas richtig Lustiges für dich", antwortet Oma. „Ich wollte gerade nach draußen gehen, um Kiefernzapfen-Zielwerfen zu üben. Willst du mitmachen?"

Jonty und Oma spielen für eine ganze Weile. Wenn sie die Zapfen werfen, prallen sie an die Seite des Eimers. Am Ende gewinnt Jonty mit einem Kiefernzapfen Vorsprung.

Es wird ein windiger Tag sein. Die Luft wird kühler und Regenwolken ziehen sich über dem Fichtensee zusammen. Jonty mag es, den Sturmböhen beim Schütteln der Bäume über dem Häuschen zuzuschauen.

Oma und Jonty müssen mehr Feuerholz aus dem Schuppen holen.

„Wo ist deine Mütze?", möchte Oma wissen.

„Ich glaube, die habe ich in der Stadt vergessen", sagt Jonty.

„Keine Sorge, ich glaube, dass ich eine hier habe, die dir passt." Oma schaut in einen großen Schrank.

Es gibt für jeden eine Mütze in Omas Schrank. Jonty bekommt eine abgetragene Wollmütze aufgesetzt. Sie bedeckt nicht nur seine Ohren, sondern fast auch noch seine Augen.

Der Sturm wird immer zorniger und draußen regnet es schon Katzen und Hunde.

„Der Regen wird schön die Blumen gießen", sagt Oma zufrieden.

„Ja, und auch die Fische", fügt Jonty hinzu.

„Genau! Morgen können wir angeln gehen!"

Das Dach über dem Häuschen ist schon alt. Es hat schon unzählige Regenstürme gesehen.

D iesmal aber sucht sich das Wasser seinen Weg zwischen den Dachziegeln hindurch. *Tropf, tropf, tropf.*

„Das Dach ist undicht", sagt Oma. „Komm schon, Jonty!"

Jonty und Oma beeilen sich, um Töpfe und Pfannen auf dem Boden zu stellen. Nur um sicherzugehen, sucht Jonty einen großen Regenschirm und spannt ihn über ihnen auf dem Sofa auf. Pfannkuchen schmecken auf jeden Fall besser, wenn sie trocken sind.

Oma ruft Teddy an, der nebenan wohnt.

„Er kommt morgen vorbei. Teddy ist ein Handwerker und weiß, wie man Sachen repariert", sagt Oma glücklich.

Am nächsten Tag hört es endlich auf zu regnen. Nach dem Frühstück geht Jonty mit Oma angeln. Es ist ganz schön aufregend, sich am Ende des Steges hinzusetzen.

Jontys Papa hat ihm einmal eine Geschichte von einem großen Hecht erzählt, der unter dem Steg wohnt. Oder früher gewohnt hat.

„Ich habe Angst, meine Füße runterhängen zu lassen", sagt Jonty.

„Ich bin sicher, dass der alte Hecht nicht mehr hier ist", sagt Oma lächelnd und lässt ihre nackten Füße in der Luft baumeln.

Ein Hämmern echot von dem Häuschen hinüber. Teddy war vorher schon auf das Dach geklettert. Er würde sich umschauen und zuerst über eine Lösung nachdenken. Dann würde er seine Ärmel hochkrempeln und anfangen.

Jonty drehte sich zu Oma um. „Vielleicht werde ich ja auch ein Handwerker", sagte er. „Es gibt nur ein Problem: Ich habe Angst, eine Leiter hochzuklettern."

Oma lächelte ihn an. „Dann bleib erstmal besser mit deinen Füßen auf dem Boden", antwortete sie ihm.

Ein Fliegensummen weckt Jonty auf. Das Zimmer ist warm. Er steht aus dem Bett auf und ruft nach Oma.

Die Küche ist leer und es ist niemand im Wohnzimmer.

„Ooooma! Ooooma!", schreit Jonty beunruhigt. Oma würde ihn doch nicht alleine im Häuschen zurücklassen und alleine in die Stadt fahren, oder?

Jonty sieht das Auto vor dem Haus stehen. Endlich findet er Oma, die in einem Sessel im Garten sitzt.

„Du kleines Dummerchen, ich würde doch niemals ohne dich wegfahren!", versichert ihm Oma. „Ich bin nur rausgegangen, um meinen Morgenkaffee zu trinken."

Jetzt erinnerte sich Jonty wieder daran, dass Oma die Angewohnheit hat, ihre erste Tasse Kaffee draußen zu trinken. Egal ob es regnet oder die Sonne scheint.

Oma sagt, dass sie gerne die Morgenluft schnuppert, um zu schauen, was der Tag wohl bringt.

Im Fichtenseehäuschen gibt es eine alte Komode mit vielen Schubladen. Jonty hat die Erlaubnis, sich durch die zwei großen, untersten Schubladen zu wühlen. Sie sind bis oben hin mit altem Spielzeug und kleinen Schätzen gefüllt, mit denen früher Jontys Vater, Onkel und Tanten gespielt haben.

Er mag die Holzboote und Autos am meisten. Jonty darf einen Hammer benutzen, um ihre losen Räder zu reparieren.

Am Boden einer der Schubladen findet er ein Seil sowie eine Anleitung, um verschiedene Knoten zu machen. Die ersten Knoten schafft Jonty alleine, aber bald schon braucht er Omas Hilfe.

„Wie kann denn eine Achterschlinge so schwer sein?", sagt Jonty.

Oma zeigt ihm, wie sie zu binden ist.

Jonty geht wieder zur Komode zurück. In den obersten Schubladen sind Omas Sachen: etwas Garn und Nadeln, Pflaster und Pinzetten, einige Fotos und Postkarten. Jonty fasst sie ohne Erlaubnis nicht an.

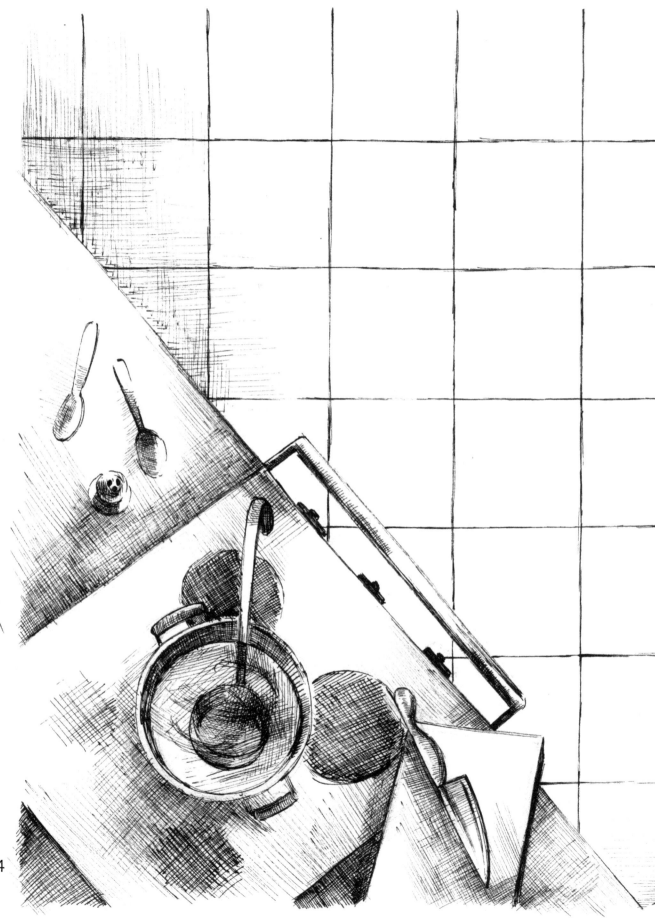

Obwohl das Fichtenseehäuschen nicht wirklich groß ist, findet sich dort der größte Kochtopf, den Jonty jemals gesehen hat. Oma kocht gerne für viele Leute auf einmal.

Es gibt auch noch einen langen Tisch, den man sogar ausziehen kann. Das ist heute besonders praktisch, da am Abend Omas Geburtstag gefeiert wird.

Oma rührt die heiße Erbsensuppe mit einem langgestielten Holzlöffel um und läßt Jonty kosten.

„Zu salzig?", fragt Oma und schmatzt mit dem Mund.

„Perfekt!", antwortet Jonty.

"Ich habe den besten geräucherten Speck, den ich finden konnte, in die Suppe gemacht", sagt Oma stolz.

Als Nachtisch backt Oma Schichtkuchen. Jonty fragt, wieso der Kuchen so gelb aussieht.

„Er ist mit den Eiern gebacken worden, die wir gestern auf dem Bauerhof gekauft haben. Die Hühner dort sind so glücklich, dass das Eigelb so richtig strahlt!"

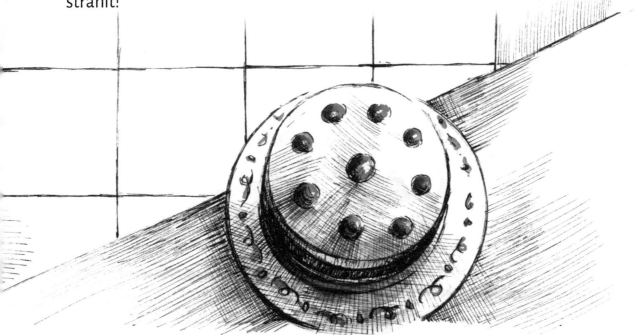

Am Abend kommen die Gäste am Fichtenseehäuschen zusammen. Mehrere Autos stehen hinter dem Kartoffelfeld, und kleine Motorboote tuckern von den Häuschen auf der anderen Seeseite zum Steg zu.

Jonty wundert sich, wie Oma denn so viele Leute kennen kann.

Sie alle bringen anscheinend sehr außergewöhnliche Geburtstagsgeschenke für sie mit. Aber Oma sieht entzückt aus, während sie jedes einzelne auspackt. Sie reibt eine sogenannte „Tarry-Creme" auf ihre Hände und legt einen „Schulterwärmer" um ihre Schultern.

„Und diese Kartoffelwaschhandschuhe sind ja eine fantastische Erfindung!", stellt Oma fest. „Und ich liebe meinen neuen Unkrautzupfer!"

Nachdem sich alle Gäste verabschiedet haben, setzt sich Oma neben Jonty auf das Sofa. Sie schauen sich einige alte Fotos zusammen an. In einigen von ihnen sieht Jonty seinen Opa neben Oma sitzen.

Und jetzt bin ich es, der neben Oma sitzt, denkt sich Jonty und umarmt sie fest. „Alles Gute zum Geburtstag, Oma!"

Oma drückt ihn fest an sich. „Danke, Jonty." Sie lächelt. „Du bist der Beste aller Sommergäste!"

CPSIA information can be obtained
at www.ICGtesting.com
Printed in the USA
LVHW071620220921
698455LV00005B/173

9 789523 575530